THE
Archive Photographs
SERIES
CYMOEDD Y
GWENDRAETH
VALLEYS

Enillwyr cystadleuaeth torri coed ym Mharc Carwe. Defnyddiwyd coed wrth gwrs i gynnal toi y gwythiennau glo.
Winners of a log-cutting contest at Carway Park. Logs were used to support the roof of the coal seams.

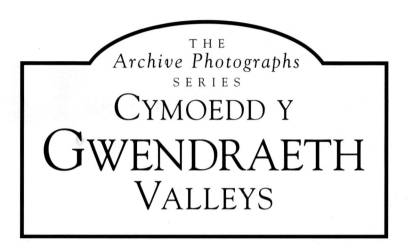

THE
Archive Photographs
SERIES
CYMOEDD Y
GWENDRAETH
VALLEYS

Casglwyd gan
Adran Datblygu Economaidd a Hamdden
(Gwasanaethau Diwylliannol), Cyngor Sir Caerfyrddin

Compiled by
the Economic Development and Leisure Department
(Cultural Services), Carmarthenshire County Council

CHALFORD

Cyhoeddwyd gyntaf ym/*First published* 1997

Hawlfraint Adran Datblygu Economaidd a Hamdden,
Cyngor Sir Caerfyrddin, 1997
Copyright © Department of Economic Development & Leisure,
Carmarthenshire County Council 1997

The Chalford Publishing Company
St Mary's Mill, Chalford,
Stroud, Gloucestershire, GL6 8NX

Cyhoeddwyd ar y cyd â/*Published in collaboration with*

Cyngor Sir Caerfyrddin Carmarthenshire County Council

ISBN 0 7524 0701 5

Typesetting and origination by
The Chalford Publishing Company
Printed in Great Britain by
Redwood Books, Trowbridge

Y tair gwraig cocos olaf yn Llansaint ar eu ffordd i'r gwelyau cocos yn aber afonydd Gwendraeth
ym 1972. Ymddeolodd y tair ym 1973. Chwith i'r dde: Mrs Gwen Bevan, Mrs Gwyneth Phillips,
Mrs Elizabeth Jones.
The last three Llansaint cockle gatherers on their way to the cocklebeds in the Gwendraeth estuary in
1972. All three retired in 1973. Left to right: Mrs Gwen Bevan, Mrs Gwyneth Phillips, Mrs Elizabeth
Jones.

Cynnwys
Contents

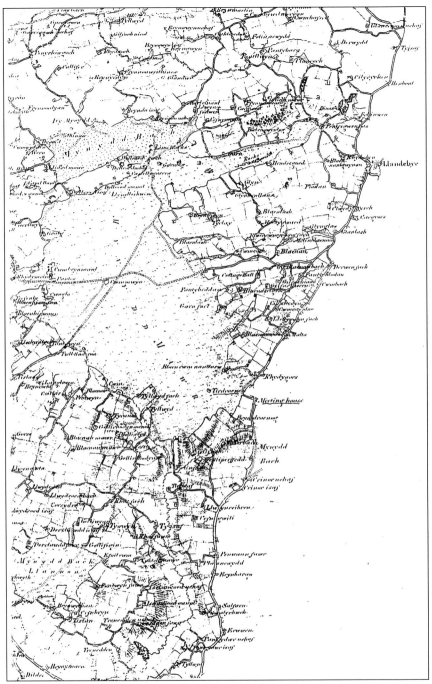

Map gwreiddiol 2 fodfedd yr Arolwg Ordnans sy'n dangos tir comin agored, di-annedd y Mynydd Mawr, tua 1813. Ar ôl cau y comin tyfodd pentrefi Cross Hands, Cefneithin, Gorslas, Penygroes a Chwmgwili.

The 2 inch original drawing of the Ordnance Survey showing the open uninhabited Mynydd Mawr common, circa 1813. Its enclosure led to the village developments of Cross Hands, Cefneithin, Gorslas, Penygroes and Cwmgwili.

6

Cyflwynir y gyfrol hon er cof am Dilwyn Roberts (Pont-yates a'r Tymbl) a W. Hill Morris (Cydweli) – y ddau yn haneswyr lleol o'r radd flaenaf.

This volume is dedicated to the memory of Dilwyn Roberts (Pont-yates and Tumble) and W. Hill Morris (Kidwelly) – both local historians of the highest calibre.

Rhagymadrodd

Er taw dwy afon sy'n rhedeg yn gyfochrog yw'r Gwendraeth Fawr a'r Gwendraeth Fach, mae nodweddion y naill a'r llall yn wahanol iawn oherwydd natur annhebyg eu daeareg. Tyfodd pentrefi o faint sylweddol fel Y Tymbl, Pontyberem, Pont-yates a Thrimsaran o ganlyniad i weithio cystradau glo caled y Gwendraeth Fawr, ond hanfod cwbl amaethyddol sydd i dir coch, cyfoethog y Gwendraeth Fach, a llai eu maint yw pentrefi hynafol Llanddarog, Llangyndeyrn a Llandyfaelog. Adwaenir blaenau'r cymoedd fel Y Mynydd Mawr, ucheldir yn codi i bron 900 troedfedd (270 medr) ger Llyn Llech Owain a chomin eang, agored hyd at ei gau ym 1811-2, gan roi bodolaeth i bentrefi glofaol Pen-y-groes, Gors-las, Cross Hands a Chefneithin. Gwahanir y ddau gwm gan gribyn uchel o gerrig gwydn y grut melinfaen a chalchfaen, gyda'i chwarrau ac hen odynau yn ymestyn o Faes-y-bont, trwy Foelgastell, Mynydd Cerrig a Chrwbin, hyd at Mynydd y Garreg. Cyn ymarllwys i Fae Caerfyrddin, una'r ddwy afon yn un aber i waered tref hynafol Cydweli a'i chastell Normanaidd, urddasol, hen waith tun, a'i chysylltiadau morwrol gynt.

Ymhell yn ôl, cyn oes y camera, gorchuddiwyd y fro gan goedwig eang a enwyd yn Fforest Glynestyn. O dipyn i beth yn sgil ei diflaniad graddol, datblygodd ffermio a choedwigaeth, a lle ceid yr adnoddau angenrheidiol, llosgwyd calch, toddwyd haearn, cynhyrchwyd platiau tun a chloddiwyd glo ar raddfa fechan mewn rhai llefydd yn yr ardal. Arferwyd y crefftau gwledig hanfodol, a bron ymhob pentref roedd 'na efail, melin ŷd ac ambell felin wlân.

Y diwydiant glo a'i dyfiant cyflym, dirfawr yn niwedd y ganrif ddiwethaf, yn sgil datblygiadau camlas a rheilffordd i lawr i Gydweli a Phorth Tywyn, a rheilffordd arall i gysylltu â Llanelli, roddodd sail a chynhaliaeth, weithiau digon helbulus, i gymunedau'r fro. Tyrrodd yma weithwyr a'u teuluoedd, yn bennaf Cymry o orllewin Dyfed, i greu cymdeithasau clos, bywiog, oedd mor nodweddiadol o bentrefi cymoedd glofaol De Cymru. Heblaw am ychydig arwyddion o foderneiddio, ni newidiodd fawr ddim hyd at chwedegau'r ganrif hon, pan gauwyd pob un o'r glofeydd pentrefol ac ysgubo ymaith bron pob arwydd allanol ohonynt, y tipiau ac adeiladau pen-gwaith a fu gynt mor amlwg, er y gellir honni i lofa fodern Cynheidre gynnal ffordd o fyw y colier am ychydig yn hwy.

Rhyw gipolwg o fywyd aml-weddog y gymdeithas ddiwydiannol arbennig hon a adlewyrchir yn bennaf yn y gyfrol yma; ond yn wahanol i gymoedd glofaol, culion, De-Ddwyrain Cymru, llwyddodd y bywyd gwledig i ffynnu ochr yn ochr â'r glofeydd, hyd yn oed ar lannau'r Gwendraeth Fawr, ac yn ddiamau ym mro ei chwaer afon dros y gribyn.

Introduction

Although the two rivers, the Gwendraeth Fawr and the Gwendraeth Fach, follow parallel courses only a few miles distant, their characteristic features are very different because of diverse geological factors. The development of large scale anthracite coal mining in the Gwendraeth Fawr valley gave rise to substantial colliery villages such as Tumble, Pontyberem, Pont-yates and Trimsaran, whilst the rich, red soils which occur in the Gwendraeth Fach valley succoured agricultural communities which grew around the smaller, older villages of Llanddarog, Llangyndeyrn and Llandyfaelog. At the headwaters of the two valleys, the upland area known as Y Mynydd Mawr, rising to almost 900 feet (270 metres) above sea level near Llyn Llech Owain, was formerly an extensive, open common enclosed as late as 1811-2, and this eventually resulted in the development of colliery villages at Pen-y-groes, Gors-las, Cross Hands and Cefneithin. The two valleys are separated by an elevated ridge of millstone grit and carboniferous limestone, widely quarried and formerly burnt for lime, along a belt extending from Maes-y-bont through Foelgastell, Mynydd Cerrig and Crwbin, to Mynydd y Garreg. The two rivers unite to form a joint estuary just below the ancient borough of Cydweli, with its fine Norman castle, old tin works and former maritime associations.

Long ago, before the age of the camera, the locality was practically covered by woodland, part of it known as the Forest of Glynestyn. Following its gradual clearance, farming and forestry flourished, and where the necessary resources were in place, lime was burnt, iron smelted, tin-plate produced and coal mined on a small scale in certain districts. Traditional rural crafts were practised and most villages had a smithy, corn-mill, and often a woollen mill.

It was the swift, unparalleled growth of coal-mining towards the end of the last century, following the construction of a canal and later a railway to Kidwelly and Burry Port, with another railway serving as an outlet to Llanelli, which provided a sound economic base for the community, albeit a sometimes difficult and stressful one. Workers with their families flocked here, the majority being Welsh speakers from west Wales, quickly settling into close-knit, lively neighbourhoods, so typical of south Wales mining valleys. Apart from a few modernising influences, there was little major change until the sixties, when every single village colliery was closed and the familiar testimony of their presence, colliery tips and pit-head buildings, were all removed, although it could be contended that the Cynheidre super-pit sustained the colliers' way of life a little longer.

Glimpses of the wide-ranging aspects of these distinctive industrial communities are presented here; but unlike the cramped mining valleys of south-east Wales, rural life was able to co-exist side by side with coalmines even in the Gwendraeth Fawr valley, and certainly in the Gwendraeth Fach valley over the ridge.

Y Rhan Gyntaf/Section One
O Amgylch Cydweli
Around Kidwelly

Llansaint, c.1930.
Llansaint, c.1930.

Heol y Fferi, Cydweli, c.1900 – gynt yn 'Scotland Lane' ac wedyn yn 'Shoe Lane Street'. Roedd yr heol hon yn arwain at y fferi a groesai'r Tywi rhwng Glan-y-Fferi â Llansteffan.
Ferry Road, Kidwelly, c.1900. Originally called Scotland Lane and then Shoe Lane Street, the road led to the ferry crossing between Ferryside and Llansteffan.

Heol Dŵr, Cydweli, c.1900. Efallai mai'r ffos agored a welir yn y stryd a roddodd ei henw iddi.
Water Street, Kidwelly c.1900. The open ditch running down the street may have given it its name.

Stryd y Castell, Cydweli, c.1900. Dymchwelwyd y bythynnod yn nhu blaen y llun erbyn hyn.
Castle Street, Kidwelly, c.1890. The cottages in the foreground have now been demolished.

Stryd y Castell, Cydweli, c.1900. Mae'r llun yn dangos adfeilion y Porth Ddeheuol ym muriau'r dref yn y Canol Oesoedd a adeiladwyd gyntaf tua 1300.
Castle Street, Kidwelly, c.1900. The photograph shows the remains of the South Gate of the medieval town defences built originally in c.1300.

Stryd y Castell, Cydweli, 1931.
Adeiladwyd Capel Bethesda ym 1861 a'i
ddymchwel ym 1962.
*Castle Street, Kidwelly, 1931. Bethesda
Chapel was built in 1861 and demolished in
1962.*

Stryd y Castell, Cydweli, c.1900.
Adeiladwyd y stryd gyntaf tua 1106, ac
hon oedd prif stryd yr hen dref.
*Castle Street, Kidwelly, c.1900. This street
was first laid out in c.1106 and was the
main street of 'Old Kidwelly'.*

Hen bont Cydweli tua 1910, gydag Eglwys y Drindod yn y cefndir.
The old bridge, Kidwelly, c.1910, with Trinity Church in the background.

'Rumsey House', Cydweli, c.1910. Wedi'i adeiladu ym 1862, dyma gartref y cyfreithiwr Harold Greenwood a gafwyd yn euog o wenwyno ei wraig. Ail-leolwyd Capel Sul ar y safle yn ystod y 1920au.
Rumsey House, Kidwelly, c.1910. Built in 1862, it was the home of Harold Greenwood, a solicitor acquitted of poisoning his wife. In the 1920s Capel Sul was relocated here.

Stryd y Bont, Cydweli, c.1900. Mae Stryd y Bont yn cynrychioli'r hen dref a'r dref fel y mae heddiw, ac am flynyddoedd lawer roedd yn rhan o'r briffordd o'r gorllewin i'r dwyrain trwy Dde Cymru.

Bridge Street, Kidwelly, c.1900. Bridge Street represents old and new Kidwelly and for many years was on the main east–west route through South Wales.

Stryd y Bont, Cydweli, c.1890. Adeiladwyd Neuadd y Dre ym 1877 ac fe'i gwelir yma y tu ôl i dai sydd yn awr wedi'u dymchwel.

Bridge Street, Kidwelly, c.1890. The Town Hall built in 1877 can be seen half hidden by houses now demolished.

Cyffordd Stryd y Bont a Heol yr Orsaf. Difrodwyd twr yr eglwys yn y cefndir gan fellt ym 1885. *The junction of Bridge Street and Station Road, Kidwelly, 1885. The church spire in the background was damaged by lightning in 1885.*

'Lady Street', Cydweli, c.1910. Mae'r bythynnod to gwellt o'r canol oesoedd wedi eu dymchwel erbyn hyn.
Lady Street, Kidwelly, c.1910. The medieval thatched cottages have been demolished.

Bythynnod to gwellt o'r canol oesoedd sydd wedi eu dymchwel.
Medieval thatched cottages in Kidwelly which are now demolished.

16

Eglwys Santes Fair, Cydweli, c.1885.
Mae'r llun yn dangos y difrod a
wnaethpwyd i do corff yr eglwys gan
gerrig nadd yn cwympo o'r tŵr, pan
darwyd hwnnw gan fellt.
St Mary's Church, Kidwelly, c.1885.
The photograph shows damage to the roof
of the nave caused by masonry falling off
the spire when it was struck by lightning.

Heol yr Orsaf, Cydweli, c.1880. Plant
a gweithwyr y post yn sefyll i gael llun
wedi'i dynnu y tu allan i'r Swyddfa
Bost. Meistres y Post oedd Mrs Eliza
Thomas.
Station Road, Kidwelly, c.1890.
Children and postal workers pose outside
the post office. The post mistress was
Mrs Eliza Thomas.

'Lady Street', Cydweli, c.1900. Adnabyddir y stryd hefyd yn Stryd y Santes Fair ar ôl Eglwys Priordy'r Santes Fair.
Lady Street, Kidwelly, c.1900. The street, also called St Mary's Street, takes its name from the Priory Church of St Mary.

Stryd y Sarn, Cydweli, c. 1900. Mae'r Neuadd y Dre o oes Fictoria ar y chwith.
Causeway Street, Kidwelly, c.1900. The Victorian Town Hall is shown on the left.

Nyrsus y Groes Goch yng Nghydweli adeg y Rhyfel Mawr 1914-18.
Red Cross nurses at Kidwelly, First World War.

Y *Pelican*, c.1910. Agerlong a ddefnyddid i gludo glo, fe'i gwelir yma yn aber yr afonydd Gwendraeth gyda Chydweli yn y cefndir.

The Pelican, c.1910. A coastal steamer. The boat was used for transporting coal and is seen in the Gwendraeth Estuary with Kidwelly in the background.

Swyddogion Heddlu Sir Gaerfyrddin yng Nghydweli yn y 1920au.

Officers of the Carmarthenshire County Constabulary stationed at Kidwelly, c.1920s.

Cwmni Stephens, Gwaith Brics Silica, Cydweli, c.1930.
The Stephens & Co. Silica Brickworks, Kidwelly, c.1930.

Gwaith Brics Cydweli, c.1950. Cuddiwyd yr odynau mewn siediau yn ystod yr Ail Ryfel Byd er mwyn tywyllu golau'r tanau rhag awyrennau bomio Yr Almaen.
Kidwelly brickworks, c.1950. During the Second World War the kilns were enclosed in sheds to prevent the glow from the fires being visible to German bombers.

Gwaith Brics Cydweli, c.1930. Gwnaethpwyd y brics trwy waith llaw mewn mowldiau unigol.
Kidwelly brickworks, c.1930. Bricks were made by hand in individual moulds.

Gwaith Brics Cydweli, c.1930. Roedd y rhan fwyaf o'r brics yn yr odyn hon ar eu ffordd i'r Gweithfeydd Dur. Oherwyd newidiadau ym mhatrwm cynhyrchu dur, bu gostyngiad yn y galw am frics, ac fe gauodd y Gwaith hwn yn sgil hynny yn y 1970au.
Kidwelly brickworks, c.1930. Most of the bricks in this kiln were destined for steel works. Changes in steel production reduced demand and the works closed in the 1970s.

Gwaith Tun Cydweli, c.1910. Roedd y Gwaith hwn yn gyflogwr i nifer helaeth o weithwyr, ac ym 1881 roedd 252 o ddynion a bechgyn ar y llyfrau.

Kidwelly Tinplate Works, c.1910. The works was a large employer and in 1881 there were 252 men and boys on the books.

Gwaith Tun Cydweli, c.1930. Cyflogid menywod hefyd yn bennaf er mwyn gwahanu, dethol a phacio'r dur cywasgedig. Roeddent yn rhwymo eu dwylo gyda chadachau er mwyn osgoi clwyfo eu hunain gyda'r ochrau miniog.

Kidwelly Tinplate Works, c.1930. Women were also employed mainly in separating, sorting and packing the finished sheets. Their hands were bound with rags to protect them from the sharp edges.

Gwaith Tun Cydweli, c.1910. Grwp o grefftwyr yn y Gwaith.
Kidwelly Tinplate Works, c.1910. Group of workers.

Yr Ail Ran/Section Two
Gwendraeth Fawr

Caeduan, Trimsaran, tua 1920.
Caeduan, Trimsaran, c.1920.

Caeduan, Trimsaran, tua 1950.
Caeduan, Trimsaran, c.1950.

Co-op Trimsaran, y cyntaf yn yr ardal, 1914.
Trimsaran Co-op Stores, the first in the district, 1914.

Bws gwag y tu allan i Neuadd y Dre, Llanelli, 1922.
An empty bus outside Llanelli Town Hall, 1922.

Bws Cwmni Samuel Eynon, Trimsaran, c.1950.
Samuel Eynon's Co. bus, Trimsaran, c.1950.

Ffwrneisi, Gwaith Haearn Trimsaran, tua 1900.
Open hearth furnaces, Trimsaran Iron Works, c.1900.

Golchfa Glofa Trimsaran, 1940au.
Trimsaran Colliery Washery, 1940s.

Gweithwyr Gwaith Brics, Trimsaran, 1962.
Brickworks workers, Trimsaran, 1962.

Côr Adran yr Urdd, Trimsaran a'u harweinyddes Miss Olive Eynon, 1936.
The Urdd Choir, Trimsaran, and their conductress Miss Olive Eynon, 1936.

Gwasanaeth Tân Cynorthwyol Trimsaran, 1940.
Trimsaran Auxiliary Fire Service, 1940.

Tîm rygbi Ysgol Trimsaran (capten, Jonathan Davies), 1972-73.
Trimsaran School rugby team (Jonathan Davies, captain), 1972-73.

Cynhyrchiad o *Sleeping Beauty*, Trimsaran, 1959.
Production of Sleeping Beauty, *Trimsaran, 1959.*

Ysgol Trimsaran, 1905.
Trimsaran School, 1905.

Pwll-llygod, Carwe, pen draw Camlas Thomas Kymer, adeiladwyd 1766-69, y gyntaf yn ne Cymru.
Pwll-llygod, Carway, terminus of Thomas Kymer's Canal, constructed 1766-69, the first canal in South Wales.

Hen siop y 'Billiards', Carwe.
The old shop at the 'Billiards', Carway.

Glyn Abbey, plasty teuluoedd boheddig Lloyd , Gwyn ac Astley Thompson, tua 1910.
Glyn Abbey, residence of the gentry families of Lloyd, Gwyn and Astley Thompson, c.1910.

Y peiriant dyrnu am y tro olaf yn Nhŷ Mawr ym 1954.
The threshing machine at Tŷ Mawr for last time, 1954.

Tîm pêl droed Carwe.
Carway AFC.

Côr Carwe, arweinydd D.T. Gilbert, prifathro'r ysgol, tua 1915. Bu ei ferch, Olive, yn unawdydd enwog gyda Chwmni Opera Carl Rosa.
Carway Choir, conductor Mr D.T. Gilbert, village schoolmaster, c.1915. His daughter Olive became a well-known soloist with the Carl Rosa Opera Company.

Trip ar Fws y Clwb.
An outing using Olwen's Coaches (Bws y Clwb).

Trip Ysgol Sul i Aberafan.
Sunday School trip to Aberavon.

Mynedfa Drifft Glofa Carwe.
Drift entrance, Carway Colliery.

Mynedfa Drifft Glofa Carwe.
Drift entrance, Carway Colliery.

Trên cludo teithwyr rheilffordd Cwm Gwendraeth, ar ei siwrne olaf i lawr y cwm, 12 Medi, 1953.
The last passenger train of the Gwendraeth Valley railway journeying down the valley, 12 September 1953.

Trap a phoni Ynys-Hafren yn mynd rownd â llaeth, Pont-yates, tua 1930.
Milk delivery by Ynys-Hafren's trap and pony, Pont-yates, c.1930.

Golygfa o Bont-yates cyn i'r Swyddfa Bost gael ei hadeiladu.
A view of Pont-yates before the Post Office was built.

Golygfa ddiweddarach o Bont-yates, gyda'r Swyddfa Bost ar y dde.
A later view of Pont-yates, with the Post Office on the right.

Edrych lawr Heol y Meinciau, Pont-yates.
Looking down Heol y Meinciau, Pont-yates.

Golygfa o'r Sarn yn edrych ar draws croesfan y rheilffordd tuag at Dafarn y Rhwyth a Chapel Tabernacl.
A view from the Sarn, looking across the railway level crossing towards The Rhwyth Inn and Tabernacl Chapel.

Siop Williams, Pont-yates, 1920
William Stores, Pont-yates, 1920.

Agorwyd Gorsaf Reilffordd Lein Porth Tywyn a'r Gwendraeth yn swyddogol yn Mhont-yates ar gyfer cludo teithwyr yn Awst 1909. Gwelir olion o'r groesfan ar Heol Carwe heddiw, ond nid oes fawr ddim o'r Orsaf nodedig hon ar ôl erbyn hyn.

The Burry Port and Gwendraeth Station at Pont-yates. The crossing of the Carway Road is evident today but little remains of the magnificent station which was officially opened to passenger traffic in August 1909.

Gorsaf reilffordd Pont-yates, 1920au.
Pont-yates railway station, 1920s.

Siarabang ger gorsaf reilffordd, Pont-yates, 1920au.
Charabanc by Pont-yates railway station, 1920s.

Trip Ysgol Sul ar ei ffordd i Borth Tywyn mewn tryciau glo agored wedi eu sgrwbio'n lân i'r achlysur, cyn 1909.
A Sunday School trip en route to Burry Port in open coal wagons which have been well scrubbed for the occasion, pre-1909.

Tîm rygbi Pont-yates, o flaen tafarn 'Y Bridgend', cyn 1914.
Pont-yates rugby team, outside the Bridgend Inn, pre-1914.

Aelodau Côr Pont-yates a'u harweinydd.
Pont-yates Choir members and their conductor.

Seindorf Pib a Drwm Ponti-yates, y llun wedi ei dynnu yn Eisteddfod Glyn Abbey, tua 1920.
Pont-yates Fife and Drum band, taken at Glyn Abbey Eisteddfod, c.1920.

Postmyn y tu allan i Swyddfa'r Post, Pont-yates. Mae'n debyg y cariwyd y llythyron o Lanelli gan y beic tair-olwyn.
Postmen outside Pont-yates Post Office. Apparently the mail was brought from Llanelli by the three-wheeler.

Tîm Achub Glofa Pont-yates tua 1918.
Mine Rescue Team, Pont-yates Colliery, c.1918.

Glofa'r Gwendraeth, Pont-yates.
Gwendraeth Colliery, Pont-yates.

Pen y pwll, Glofa Plasbach, Pont-yates. Fe'i caewyd ym 1927.
The pit-head, Plasbach Colliery, Pont-yates, which closed in 1927.

Glofa Cynheidre, agorwyd 1960, caewyd 1989.
Cynheidre Colliery, opened 1960, closed 1989.

Gorsaf reilffordd, Pont-henri, c.1910.
Railway station, Pont-henri, c.1910.

Gorsaf reilffordd, Pont-henri, c.1910.
Railway station, Pont-henri, c.1910.

Capel Bethesda (Bedyddwyr), Pont-henri.
Bethesda (Baptist) Chapel, Pont-henri.

Trip Ysgol Sul, Pont-henri.
Sunday School trip, Pont-henri.

Parti 'Ponthenry Music Lovers', enillwyr yn Eisteddfod Caerfyrddin, Awst 1918.
'Ponthenry Music Lovers', winners at the Carmarthen Eisteddfod, August 1918.

Dosbarth nyrsio Pont-henri, 1928.
Nursing class, Pont-henri, 1928.

Lladd gwair, Pont-henri, 1930au.
Hay cutting, Pont-henri, 1930s.

Pâr o wartheg byr-gorn buddugol Mr D. Beynon, Ynys Hafren, Pont-henri.
Pair of prize-winning shorthorn cattle, Ynys Hafren, Pont-henri.

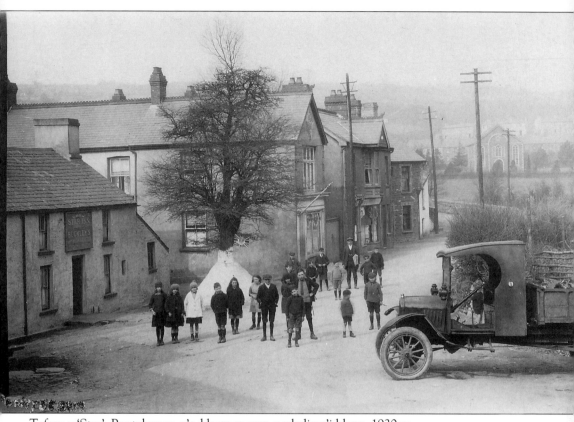

Tafarn y 'Star', Pontyberem, a'r ddraenen wen nodedig o'i blaen, 1920au.
Star Inn, Pontyberem, with the notable hawthorn in front, 1920s.

Tai gweithwyr, Gwendraeth Row, Pontyberem, adeiladwyd tua 1840.
Workers' houses, Gwendraeth Row, Pontyberem, erected c.1840.

Golygfa o gapeli Caersalem a Soar, Pontyberem..
A view of Caersalem and Soar chapels, Pontyberem.

Siop nwyddau haearn a chelfi Harries & Walters a Sgŵar Pontyberem.
Harries & Walters ironmongery and furniture stores and Pontyberem Square.

Siop hetiau, dillad a nwyddau cyffredinol D.T. Davies, ym Mhontyberem.
D.T. Davies, General Merchant, milliner, draper, Pontyberem.

Siop nwyddau gyffredinol Cwmni 'Star', Pontyberem a'r staff, 1920au.
Star general supply store and staff, Pontyberem, 1920s.

Siop y Co-op, Pontyberem.
Co-operative Store, Pontyberem.

Bythynnod Croesfaen, Pontyberem, 1920au.
Croesfaen cottages, Pontyberem, 1920s.

Plas Nant-y-glo, Pontyberem, cartref teulu'r bonheddwr Jones a theulu'r diwydiannwr Watney.
Coalbrook, Pontyberem, former residence of the gentry Jones family and the industrialist Watney family.

Swyddogion Glofa Pentre Mawr, Pontyberem.
Officials of Pentre Mawr Colliery, Pontyberem.

Glofa Capel Ifan, Pontyberem, unwyd â Glofa newydd Pentremawr ddiwedd y ganrif ddiwethaf.
Capel Ifan Colliery, Pontyberem merged with the new Pentremawr Colliery towards the end of the last century.

Priodas John Evans, Cilcarw Uchaf â Margaret Griffiths, Disgwylfa, 1860.
The marriage of John Evans, Cilcarw Uchaf and Margaret Griffiths, Disgwylfa, 1860.

Côr Meibion Pontyberem, Mr John Williams, arweinydd, 1950au.
Pontyberem Male Voice Choir, Mr John Williams, conductor, 1950s.

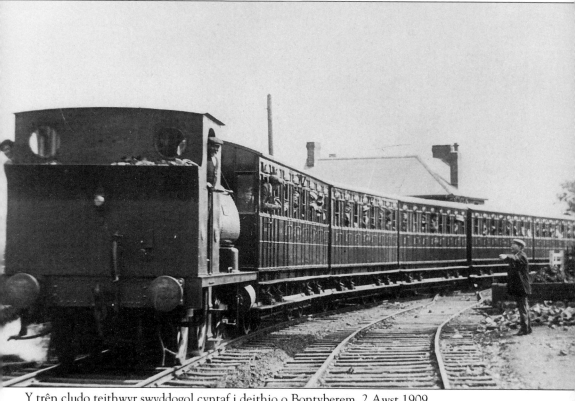

Y trên cludo teithwyr swyddogol cyntaf i deithio o Bontyberem, 2 Awst 1909.
The first official passenger train leaving Pontyberem, 2 August 1909.

Ysgol y Babanod, Pontyberem. Fe'i hagorwyd yn swyddogol ym 1913.
Pontyberem Infants School officially opened in 1913.

Y Drydedd Ran/Section Three
Mynydd Mawr

Yn edrych i fyny'r Stryd Fawr yn Y Tymbl, c.1925.
Looking up High Street, Tumble, c.1925.

Golygfa o Stryd Fawr, Y Tymbl, tua 1910.
A view of High Street, Tumble, c.1910.

VIEW OF LOWER TUMBLE.

Golygfa o'r Tymbl Isaf, tua 1910.
A view of Lower Tumble, c.1910.

Yn edrych i gyfeiriad y 'Lodging House' – llety i'r gweithwyr a ymfudodd i'r Tymbl i weithio yng Nglofa'r Mynydd Mawr.
From Hall Street, looking towards the Lodging House – accommodation for migrant workers in the Great Mountain colliery.

Tumble Hotel, 1920au, y tŷ cyntaf yn yr ardal. Ar gwymp Richard, mab Oliver Cromwell, rhoddwyd yr enw 'Tumble Dick Down' ar amryw o dai y cyfnod.
Tumble Hotel, 1920s, the first house in the area. On the fall of Richard Cromwell, Oliver's son, some houses of the period were named 'Tumble Dick Down'.

Siop y Cigydd, Y Tymbl.
Butchers shop, Tumble.

Un o'r siopau bwyd enwocaf yng Nghwm Gwendraeth Fawr. Siop y 'Star Supply' yn Y Tymbl.
c.1930.
One of the best known grocers in the Gwendraeth Fawr valley. Star Supply Stores in Tumble, c.1930.

Mr Sainty, un o'r Crynwyr, yn torri'r dywarchen gyntaf ar gyfer adeiladu Llain-y-delyn, Tŷ Cymdeithas, Y Tymbl, 1928, yn dilyn cau allan y Parch Tom Nefyn a'i ddilynwyr gan yr Eglwys Bresbyteraidd.
Mr Sainty, a Quaker, cutting the first sod of the foundation of Llain-y-delyn, Society House, Tumble, 1928, following the lock-out of the Revd Tom Nefyn and his followers by the Presbyterian Church.

Railway Terrace, Y Tymbl, gyda Llain-y-delyn yn y cefndir, tua 1930.
Railway Terrace, Tumble, with Llain-y-delyn (centre back), c.1930.

Colier a'i grwtyn, Y Tymbl, tua 1920.
A collier and his 'butty' young assistant, Tumble, c.1920.

Yr Hen Ddrifft, Glofa'r Mynydd Mawr, Y Tymbl. Fe'i sefydlwyd gan Gwmni John Waddell ym 1887 a sefydlu'r pentref yn ei sgil.
The Old Drift, Great Mountain Colliery, begun by John Waddell and Company in 1887, thus initiating the formation of the village.

Y *John Waddell* yng Nglofa'r Mynydd Mawr yn Y Tymbl ym 1948.
The John Waddell *at Great Mountain Colliery, Tumble, in 1948.*

Mr Luigi Balbini a'i gerbyd hufen iâ, tua 1930. Yn ystod y gaeaf âi o gwmpas i werthu sglodion tatws.
Mr Luigi Balbini and his ice-cream cart, c.1930. During winter he would purvey chips.

Timoedd rygbi Y Tymbl (capten, Lloyd Morgan), a Chaerdydd (capten, Les Manfield), ar achlysur dathliad hanner canrif sefydlu'r clwb ym 1947.
Tumble RFC (captain, Lloyd Morgan) versus Cardiff RFC (captain, Les Manfield), a match arranged to celebrate the club's fiftieth anniversary, 1947.

70

Aelodau Clwb Tennis Y Tymbl, gyda pherchenog y Lofa, John Waddell, ag aelodau o'i deulu yn eistedd, 1919
Members of Tumble Tennis Club, with the colliery owner, Mr John Waddell, and family members, 1919.

Côr Undebol Y Tymbl, (Arweinydd Mr David Morgan) a fu'n perfformio oratorios blynyddol yn niwedd y 1940au a'r 1950au.
Tumble United Choir (Conductor Mr David Morgan) performed oratorios annually during the late 1940s and 1950s.

71

Gorsaf Cwm-mawr, pen draw Rheilffordd Porth Tywyn a Chwm Gwendraeth, tua 1920.
Cwm-mawr Station, terminus of the Burry Port and Gwendraeth Valley Railway, c.1920.

Siop Cwm-mawr, 1920.
Cwm-mawr Stores, 1920.

Tŷ-dderwen, Cwm-mawr, c.1910.
Tŷ-dderwen, Cwm-mawr, c.1910.

Sgwâr Drefach, tua 1920.
Drefach Square, c.1920.

Sgwâr Siop Rhys James, Drefach.
Rhys James' Shop Square, Drefach.

Golygfa o Sgwâr Drefach, gyda Chraig y Tymbl yn y pellter.
A view from Drefach Square, with the Tumble 'Graig' in the distance.

GWENDRAETH GRAMMER SCHOOL 1st & 2nd NETBALL TEAMS 1946 – 7

Tîm pêl-rwyd (capten, Jean Williams), Ysgol Ramadeg y Gwendraeth, 1946-47, ei hathrawes Miss Mair Lewis, a'u prifathro Mr Llewelyn Williams.

Gwendraeth Grammar School netball team, 1946-47 (Jean Williams, captain). Seated are Miss Mair Lewis and Mr Llewelyn Williams, headmaster.

Athrawon Ysgol Uwchradd Cwm Gwendraeth, 1940.
Teaching staff, Gwendraeth Valley Secondary School, 1940.

Tîm rygbi Ysgol Ramadeg y Gwendraeth, 1946-47 (capten, Carwyn James yn gwisgo crys Ysgolion Uwchradd Cymru), athro Mr Gwynfil Rees, prifathro Mr Llywelyn Williams.
Gwendraeth Grammar School rugby team, 1946-47 (captain, Carwyn James, wearing a Welsh Secondary Schools jersey). Seated are Mr Gwynfil Rees, master, and Mr Llywelyn Williams, headmaster.

Disgyblion Ysgol Drefach, tua 1910.
Pupils of Drefach School, c.1910.

Parti o ferched mewn gwisgoedd traddodiadol Cymreig, o flaen Capel Hebron, tua 1930.
A party of girls in Welsh traditional costume, in front of Hebron Chapel, c.1930.

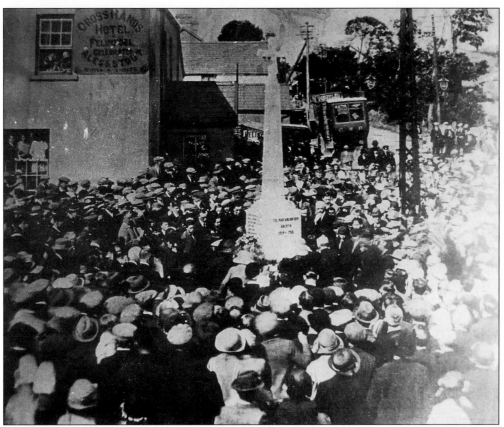

Agoriad Cofeb y Rhyfel ar Sgwâr Cross Hands ar ôl y Rhyfel Byd Cyntaf, c.1920.
The opening of the War Memorial on Cross Hands Square after the First World War, c.1920.

Ail-adeiladwyd ac ail-agorwyd y Neuadd Gyhoeddus (ar y chwith) erbyn hyn, c.1920. Mae pont y rheilffordd wedi'i dymchwel ers blynyddoedd.

The Public Hall has now been partly rebuilt, refurbished and reopened, c.1920. The railway bridge has long been demolished.

Hen Swyddfa'r Post Cross Hands ar y chwith tua 1920. Yn ddiweddarach codwyd sinema'r Capitol gerllaw.

The old Cross Hands Post Office, left, c.1920. Later the Capitol Cinema was erected nearby.

Pentref Cross Hands a 'phyramid' sbwriel y lofa, tua 1960.
The village of Cross Hands with its colliery tip 'pyramid', c.1960.

Heol Llandeilo, Cross Hands, c.1950. Mae'r sinema ar y dde wedi'i llosgi a'i dymchel. Mae'r
bont yn y cefndir hefyd wedi'i dymchwel, ac adeiladwyd cylchfan mawr yn ei lle.
*Llandeilo Road, Cross Hands, c.1950.The cinema on the right has since burnt down and the railway
bridge in the distance replaced by a large roundabout.*

Golygfa o sgwâr Cross Hands yn edrych tuag at gyfeiriad Y Tymbl, c.1925.
A view of Cross Hands square looking in the direction of Tumble, c.1925.

Sgwâr Cross Hands yn gwynebu Heol Abertawe, c.1950.
Cross Hands square facing the Swansea Road, c.1950.

Glowyr wrth eu gwaith caled a pheryglus, c.1930.
Coal miners – dangerous and intensive manual labour, c.1930.

Glofa Newydd Cross Hands, 1930au.
New Cross Hands Colliery, 1930s.

Dosbarth coginio, Adran y Plant Hŷn, Ysgol Cross Hands, tua 1950.
Cookery class, Cross Hands Senior Centre, c.1950.

Gwernllwyn, Bu'n gartref i reolwyr Glofa Cross Hands.
Gwernllwyn, former residence of managers of Cross Hands Colliery.

Aelodau y Clwb Bowlio o flaen Pafiliwn Parc Cross Hands, tua 1930.
Members of the Bowls Club in front of the Pavilion, Cross Hands Park, c.1930.

Perfformiwyd cyfres o operâu clasurol gan Gyngor Celfyddydau y Mynydd Mawr, yn Neuadd Gyhoeddus Cross Hands yn ystod diwedd y 1940au a dechrau'r 50au. Dyma'r côr, yr unawdwyr a'r gerddorfa yn *Samson and Delilah* gan Saint Saens.

A series of classical operas were performed by the Mynydd Mawr Council of the Arts, throughout the late 1940s and early '50s in Cross Hands Public Hall. Seen here are the choir, soloists and orchestra in Saint Saens' Samson and Delilah.

Dosbarth Ambiwlans Sant Ioan, Cross Hands, 1906.
Cross Hands St John Ambulance Class, 1906.

Capel Pen-twyn (Presbyteriaid), Cwmgwili, cyn ei adnewyddu.
Pen-twyn (Presbyterian) Chapel, Cwmgwili, before restoration.

Ysgubor Pen-twyn, Llannon; safle Academi enwog (1730) Samuel Jones, gweinidog Capel Seion. Y disgybl disgleiriaf oedd Dr Richard Price yr athronydd.
The barn at Pen-twyn, Llannon, Samuel Jones's famous Nonconformist Academy, 1730-52. Its most distinguished pupil was the philosopher Dr Richard Price.

Gwlad y pyramidiau. Tipiau glo
Blaenhirwaun, rhwng Cross Hands â
Drefach, c.1960.
*Pyramid country. Coal tips between Cross
Hands and Drefach, c.1960.*

D.H. Culpitt. Brodor o Gefneithin,
glöwr a dyn yswiriant a ddaeth yn un o
feirdd enwocaf Cwm Gwendraeth.
*D.H. Culpitt. A native of Cefneithin, a
miner and insurance agent who became one
of the Gwendraeth Valley's foremost poets.*

Cynorthwywyr gwirfoddol Cegin Gymunedol, Cefneithin o flaen Capel Tabernacl, adeg streic y glowyr, 1926.
Cefneithin Communal Kitchen volunteer workers in front of Tabernacl Chapel, during the 1926 coal strike.

Clwb Rygbi Cefneithin 1946. Carwyn James yn eistedd ar y llawr ar y chwith.
Cefneithin RFC, 1946. Carwyn James is seated front left.

Sgwâr Gors-las a Thafarn yr 'Union' tua 1920.
Gors-las Square and the Union Tavern, c.1920.

Gorymdaith briodas yn croesi sgwâr Gors-las, 1910au.
A wedding procession crossing Gors-las square, 1910s.

Siop gyntaf Cymdeithas y Co-op, Gors-las.
The first Gors-las Co-op Store.

Siop aml-adran Co-op Gors-las, agorwyd Awst 1930.
Gors-las multi-department Co-op Store, opened August 1930.

Aelodau o Bwyllgor Addysg Co-op Gors-las. Trefnient raglenni blynyddol o weithgareddau, cyrsiau un-dydd, a darlithiau.
Members of Gors-las Co-operative Stores Education Committee. They arranged annual programmes of one-day courses, lectures, etc.

Un o faniau cludo cynnar Co-op Gors-las, 1920au.
An early Gors-las Co-op delivery van, 1920s.

Tŷ'r Gât, Castell Rhingyll, c.1950au.
Tŷ'r Gât, Castell Rhingyll, c.1950s.

Pen-y-groes i gyfeiriad Llandybie, c.1900.
Pen-y-groes, looking towards Llandybie, c.1900.

Norton Heol, Pen-y-groes, c.1930.
Norton Road, Pen-y-groes, c.1930.

Awyr-lun o Lofa'r Emlyn a phentref Pen-y-groes, 1930au.
Aerial photo of Emlyn Colliery and Pen-y-groes village, 1930s.

Gweithwyr a wagen lo Glofa'r Emlyn, tua 1910.
Workers and coal wagon, Emlyn Colliery, c.1910.

Y tu fewn i'r Tŷ Injan Weindio, Glofa'r Emlyn, Pen-y-groes.
The interior of Engine Winding House, Emlyn Colliery, Pen-y-groes.

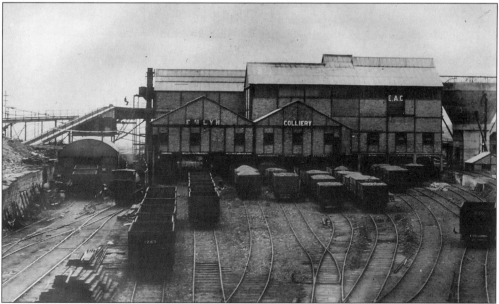

Pen draw y Rheilffordd yng Nglofa'r Emlyn, c.1920.
Emlyn Colliery Railway Terminus, c.1920.

Golchfa Glofa'r Emlyn, Pen-y-groes.
Washery, Emlyn Colliery, Pen-y-groes.

Tri o'r ceffylau olaf a ddefnyddiwyd dan ddaear yng Nglofa'r Emlyn, 1939.
Three of the last pit ponies, Emlyn Colliery, 1939.

Dau golier, Glofa'r Emlyn.
Two colliers, Emlyn Colliery.

Agor Drift yr Emlyn, 1920.
Opening the Emlyn Drift, 1920.

Y Bedwaredd Ran/Section Four
Y Gribyn
The Ridge

'Bedd Gwenllian', Mynydd y Garreg, lle yn ôl traddodiad y claddwyd hi a'i mab Morgan ym 1136.
'Gwenllian's Grave', Mynydd y Garreg, where, according to tradition, she and her son Morgan were buried in 1136.

Cwar Mynydd y Garreg, tua 1920.
Mynydd y Garreg Quarry, c.1920.

Gweithwyr y Cwar, c.1920.
Quarry Workers, c.1920.

Margaret, injan Cwar Stephens, Mynydd y Garreg. Y mae yn awr yn Amgueddfa Scolton, Sir
Benfro. Y gyrrwr yw Mr D.T. Gravell, arweinydd y seindorf leol.
Margaret, *engine at Stephens Quarry, Mynydd y Garreg, now at Scolton Manor Museum,
Pembrokeshire. The driver is Mr D.T. Gravell, conductor of the silver band.*

Disgyblion Ysgol Mynydd y Garreg, tua 1920.
Pupils of Mynydd y Garreg School, c.1920.

Band Arian Mynydd y Garreg, c.1914.
Mynydd y Garreg Silver Band, c.1914.

Band Arian, Mynydd y Garreg, c.1920 yn Ninbych-y-Pysgod. Mae'r arweinydd David William Gravell yn eistedd yng nghanol yr ail res.
Mynydd-y-Garreg Silver Band, c.1920 at Tenby. The conductor David William Gravell is seated in the middle of the second row.

Cegin Gawl, Pedair Heol, 1926.
Soup Kitchen, Four Roads, 1926.

Mae Tom Walters, Tŷ Canol, Pedair Heol (y perchennog), a Davy Jones, Primrose Hill, Pedair Heol, yn sefyll o flaen y bws.
Standing in front of the bus is the owner, Tom Walters, Tŷ Canol, Four Roads and Davy Jones, Primrose Hill, Four Roads.

Sgwâr y Meinciau gyda thafarn y 'Black Horse' ar y dde.
Black Horse Square, Meinciau.

Arwerthiant ym Meinciau Mawr, c.1910.
Sale at Meinciau Mawr, c.1910.

Picnic Côr Craig-y-Fan, Meinciau a'i harweinydd, Ben y Felindre, 1920au.
Craig-y-Fan Choir, Meinciau conductor, Ben y Felindre, at a picnic, 1920s.

Coliers y tu allan i'r 'Square & Compass', Crwbin, 1930au.
Colliers in front of the Square & Compass, Crwbin, 1930au.

Bwthyn 'Ffynnon Lwyfen', Heol y Gwynt, Crwbin.
'Ffynnon Lwyfen' cottage, Heol y Gwynt, Crwbin.

Seindorf Arian Crwbin a ffurfiwyd ym 1896.
Crwbin Silver Band, founded in 1896.

Seindorf Arian Crwbin yn arwain gorymdaith.
Crwbin Silver Band leading a procession.

Carnifal Bancffosfelen, c. 1930.
Bancffosfelen Carnival, c.1930.

Heol y Banc, yn edrych i lawr ar Bontyberem.
Heol y Banc, looking down at Pontyberem.

Heol y Banc, yn edrych i lawr ar Bontyberem.
Heol y Banc, looking down at Pontyberem.

Disgyblion y tu allan i Ysgol Bancffosfelen, 1924.
Pupils in front of Bancffosfelen School, 1924.

Heol y Banc ac Ysgol Bancffosfelen (ar y dde) tua 1912.
Heol y Banc with Bancffosfelen School (top right, c.1912.

Odynnau calch Cwar Maes Dulais, Porth-y-rhyd. Fe'u hadeiladwyd ym 1887.
Limekilns at Maesdulais Quarry, Porth-y-rhyd. They were erected in 1887.

Gweithwyr, Cwar Maes Dulais, Porth-y-rhyd, 1926.
Workmen, Maes Diwlais Quarry, Porth-y-rhyd, 1926.

Capel Llanlluan (Presbyteriaid) cyn ei ail-adeiladu ym 1901.
Llanlluan Chapel (Presbyterian) before its reconstruction in 1901.

Capel Seion (Annibynwyr), yr achos Anghydffurfiol hynaf yn yr ardal, wedi ei sefydlu ym 1712.
Capel Seion (Independent), the oldest Nonconformist cause in the area, founded in 1712.

Ysgol Maes-y-bont, agorwyd ym 1878.
Maes-y-bont School, opened in 1878.

Bâd-fodur yn cludo ymwelwyr ar Lyn Llech Owain, 1913. Dywedir mai David Jones, Tir-llyn a luniodd y pennill.
'Mae'r bâd i'r byd yn barod / A modur yn ei waelod;
Cewch fynd yn chwim o fan i fan / A nôl yn un diwrnod.'
A motor boat carrying visitors on Llyn Llech Owain, 1913. David Jones, Tir-llyn may have composed the above verse.

117

Castell-y-Garreg, c.1950.

Y Bumed Ran/Section Five

Gwendraeth Fach

Llandyfaelog, gyda'r 'Red Lion' a'r capel Methodist ar y chwith.
Llandyfaelog, with the Red Lion and Methodist Chapel on the left.

Heol y pentre, Llandyfaelog, tua 1920.
The village street, Llandyfaelog, c.1920.

Llandyfaelog i gyfeiriad y fynwent, lle gwelir bedd y Parch Peter Williams, Methodist, a chyhoeddwr y Beibl poblogaidd.

Llandyfaelog, looking towards the lych-gate. The Revd Peter Williams, a Methodist and publisher of a popular Welsh Bible, is buried in the churchyard.

Pentref Pontantwn. Slawer dydd roedd yno felin wlân a melin fâl, tafarn ac efail.

Pontantwn village, where once could be found a woollen mill, corn mill, a tavern and a smithy.

Swyddfa'r Post (Eagle's Bush), Llangyndeyrn. 1920au.
The Post Office (Eagle's Bush), Llangyndeyrn, 1920s.

Rhai o aelodau'r Pwyllgor Amddiffyn buddugoliaethus adeg y Cyfarfod Diolchgarwch, Awst 1965. Sefydlwyd y Pwyllgor i amddiffyn y Cwm rhag cael ei foddi gan gronfa ddŵr arfaethedig.
Some members of the victorious Defence Committee on the occasion of the Thanksgiving Meeting, August 1965. The Committee was formed to defend the valley from a proposal to build a reservoir there.

Southend Llanddarog village.

Llanddarog a chlochdy adnabyddus Eglwys y Plwyf, tua 1920.
Llanddarog with the familiar spire of the Parish Church, c.1920.

Ffair Llanddarog, 'Ffair Gwsberis', a gynhaliwyd ar y Llun cyntaf ar ôl Mai 20fed. Sylwer ar stondinau'r ffair bleser yn ogystal â'r gwartheg oedd ar werth, tua 1910.
Llanddarog 'Gooseberry Fair', held on the first Monday following 20th May. Note the stands of the pleasure fair as well as the cattle presented for sale, c.1910.

Golygfa o ffair Llanddarog ger ffald y plwyf. Gwelir tafarn y 'White Hart' yn y cefndir.
A view of Llanddarog Fair near the parish pound, with the White Hart Inn as a background.

Mrs Rachel Stephens, gwraig fferm, Pant-y-pwll, Llanddarog, mewn gwisg nodweddiadol o'r 1890au (Bu farw ym 1899.)

Mrs Rachel Stephens, a farmer's wife, of Pant-y-pwll, Llanddarog, dressed in the typical fashion of the 1890s. (She died in 1899.)

Y 'Butchers Arms', Llanddarog. Yma paratowyd y 'Cacs Ffair Llanddarog' blasus.
The Butchers Arms, Llanddarog. The tasty Llanddarog 'Fair Cakes' were prepared here.

Sgwâr Porth-y-rhyd, ac ar y dde, Tŷ'r Gât, a ddinistriwyd sawl gwaith gan Ferched Beca yn y ganrif ddiwethaf.
Porth-y-rhyd square, with the former toll-gate house on the right, destroyed on several occasions by Rebecca's Daughters in the Rebecca Riots – a rural protest movement in the last century.

Capel Bethlehem (Bedyddwyr), Porth-y-rhyd. Adeiladwyd y capel cyntaf ym 1817.
Bethlehem (Baptist) Chapel, Porth-y-rhyd. The first chapel was erected in 1817.

Heol Foelgastell, Porth-y-rhyd.
Foelgastell Road, Porth-y-rhyd.

Tafarn y 'Mansel Arms' Porth-y-rhyd. Roedd y gaseg 'Tyhen' yn goben go adnabyddus yn rasus trotian yr ardal.
The Mansel Arms, Porth-y-rhyd. The Welsh cob mare 'Tyhen' was well known at local trotting races.

Cydnabyddiaethau

Casglwyd y lluniau ar gyfer y gyfrol hon gan staff Adran Datblygu Economaidd a Hamdden (Gwasanaethau Diwylliannol) Cyngor Sir Caerfyrddin, yn arbennig:
Chris Delaney; Dewi P. Thomas.

Cafwyd cymorth helaeth ac anhepgor gan y diweddar Dilwyn Roberts a Donald Williams, y ddau yn aelod blaenllaw o Gymdeithas Hanes Cwm Gwendraeth.

Mae'n diolch yn ddyledus hefyd nid yn unig i'r caredigion hynny sydd dros y blynyddoedd wedi rhoi lluniau i gasgliadau'r Adran, ond hefyd ac yn arbennig i'r cymorth a gafwyd gan yr unigolion ar mudiadau hynny a roddodd eu caniatad inni atgynhyrchu'r lluniau sy'n eiddo iddynt yn y gyfrol hon.

Acknowledgements

This book was compiled by members of staff of the Economic Development and Leisure (Cultural Services) Department of Carmarthenshire County Council, in particular:
Chris Delaney; Dewi P. Thomas

Extensive and invaluable help was provided by the late Dilwyn Roberts and Donald Williams, both founder members of the Gwendraeth Valley Historical Society.

In addition to thanking the numerous donors who, over the years, have provided photographs to the Department's collections, the assistance of those organisations and individuals who gave their permission for the reproduction of their photographs in this volume must also be especially acknowledged.